Konami Kanata

2

Glénat

Sommaire

Chat pitre 21 Chi est ravie

C'EST PAS MAL...

ET ÇA, C'EST BON ?!
ZE VAIS GOÛTER !
SLUP SLUP SLUP
PLIC
BEEEUUH
C'EST DÉGOÛTANT !
...
TAP TAP TAP
SSS

SUCCU-
LENT !
SLURP

ET ÇA,
C'EST
BON ?!

CROC CROC
CROC
CROC

...

Z'EN
VEUX PAS...

C'EST BON ?!
GNAP

...

ZE PRÉFÈRE CE QU'IL Y A DANS MA GAMELLE.

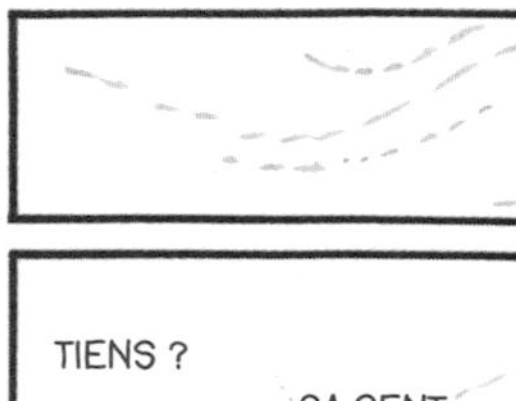

TIENS ?
ÇA SENT BON...

ÇA A L'AIR TROP BON, MAMAN !
J'AI MIS PLEIN DE BEURRE DESSUS, TU VAS TE RÉGALER !

AAAH
MIAOU !!
MIAOU !!
C'EST BON, CE QUE TU MANZES ?

TU ME FAIS GOÛTER ?!

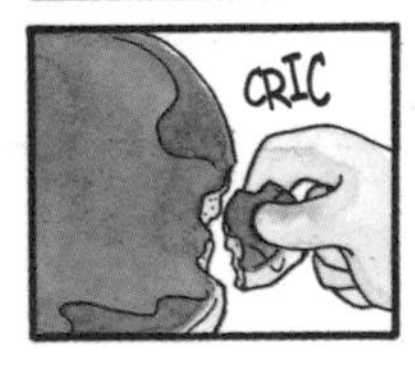
CRIC

CHOMP
CHOMP
CHOMP

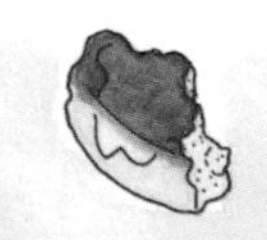

ALORS, CHI...
TU AIMES ?
GRIP
BRR BRR BRR
C'EST TROP BON !
C'EST LA MEILLEURE CHOSE QUE Z'AIE ZAMAIS GOÛTÉE !

Chat pitre 21 / fin

Chat pitre 22
Chi prend un bain
HAHAHA ! HAHAHA !
PLATCH PLATCH
HI HI HI HI
C'EST LOUCHE...
ILS ONT L'AIR DE S'AMUSER ALORS QU'ILS SONT DANS UNE SALLE DE TORTURE QUI MOUSSE ET QUI MOUILLE.
QU'EST-CE QU'ILS FONT ?
TIC

FLOC
FLOC
FLOC
FLOC

HIHI !
HIHI !
ZIP
FLOC
FLOC
FLOC

ZE VAIS M'APPROCHER AVEC PRUDENCE...
TIP
TIP
TIP

REVOILÀ CHI !
SSS

FLOC FLOC FLOC FLOC

FLOC FLOC FLOC

QU'EST-CE QUE C'EST ?
MIAOU !
PLIC PLIC PLIC

AH...

MIA !
HIII !

ZE SUIS TOUTE MOUILLÉE !
MIAA-AW !
ELLE A FILÉ.
TAC
TAP TAP TAP

SLUP
SLUP
SLUP
SLUP

OUF... ZE L'AI ÉCHAPPÉ BELLE.

PAPA, JE PEUX METTRE PLUS DE JOUETS DANS LE BAIN ?!
VAS-Y.

PLOF
PLOF
PLOF

ZIP

PLOC
PLOC

PLOP
PLOP
PLOP
PLOP
AH !

PLEIN DE ZOUZOUX !
MIAOU !
CHI !

SWIP
SWIP
SWIP
ZE VAIS T'ATTRAPER !
MIAW MIAW !

MIAW !
YOUPI !
GRIP

!
ZE TOMBE !

NON, NON, NON !
FLAP
FLAP
FLAP

OH NON...

PLOUF
OH LÀ...
AH !

CATAS-
TROPHE !

CHI EST TOMBÉE DANS LA BAIGNOIRE !
MIA-ARGH !
PLATCH
PLATCH

ÇA VA, MA PAUVRE ?
MI-ARGH !
PLOF
CHI...
MIA-RGH !

AAAH
ELLE EST SAINE ET SAUVE...

OUF...

MAIS JE CROIS QU'ELLE VA ENCORE PLUS DÉTESTER LA SALLE DE BAIN.

Chat pitre 22 / fin

Chat pitre 23 Chi se frotte à Yohei

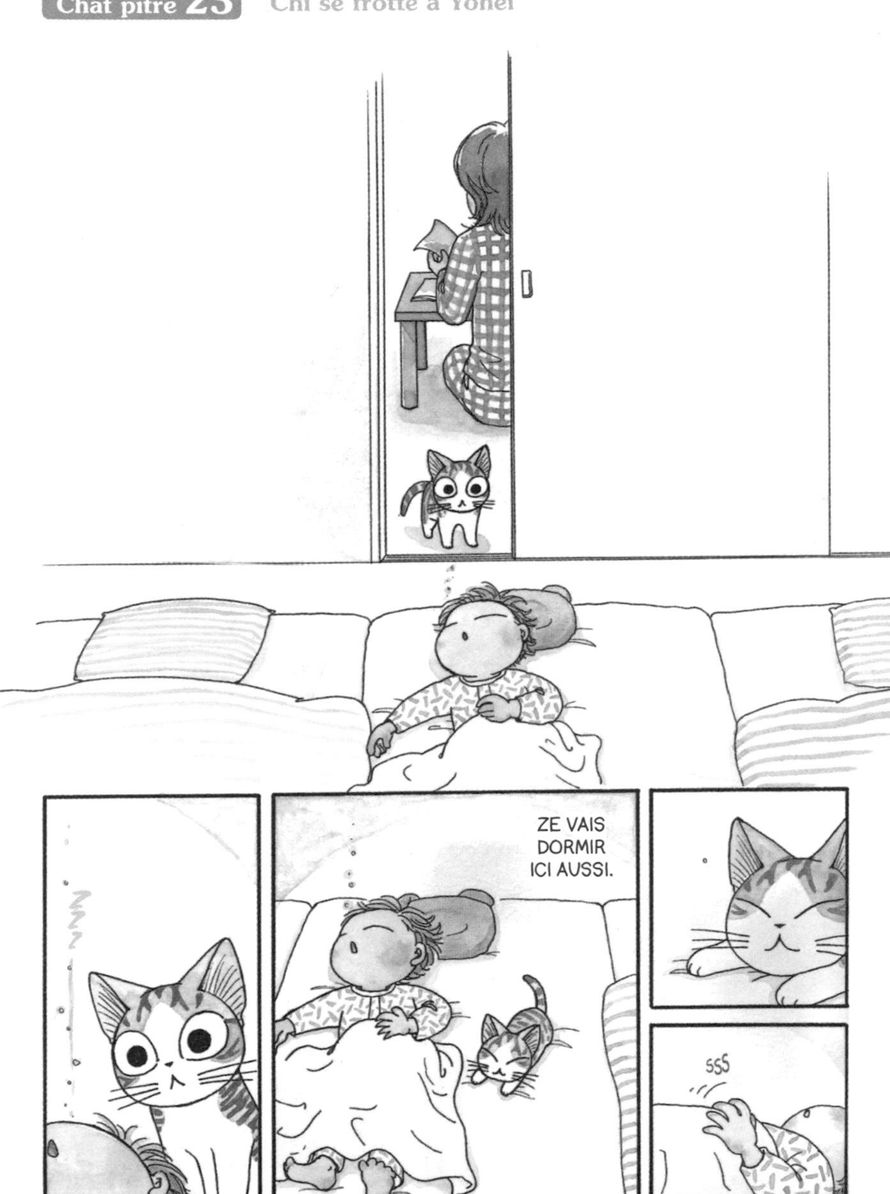

POF
ZIP
PAF
HMM

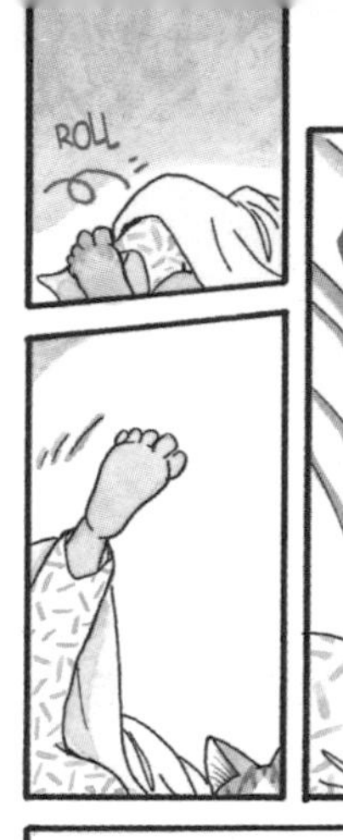
ROLL

PLAF
MIOUIL-LE !

C'EST QUOI ?

...

CRR CRR
CRR
OUF

YOHEI ZIGOTE PENDANT SON SOMMEIL.

HMM
ÉTIRE
ÉTIRE
ÉTIIIRE
HMM
CHI S'AGITE QUAND ELLE DORT...
ROLL

ZWIP
ROLL ROLL
ROLL ROLL
POF
GNNN
Z'EN AI MARRE !

YOHEI, TU ES TROP REMUANT, TU AS FAILLI M'ÉTOUFFER DEUX FOIS !
ZE VAIS DORMIR TOUTE SEULE.

TIENS...

ÇA ME RAPPELLE QUELQUE CHOSE...

ÇA ME RAPPELLE...
QUELQUE CHOSE...

FROTT FROTT
FROTT

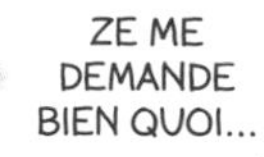
ZE ME DEMANDE BIEN QUOI...

Chat pitre 23 / fin

Chat pitre 24 Chi veut se faire remarquer

J'AIME BIEN JOUER
AVEC SA QUEUE.

MOI,
J'ADORE SES
COUSSINETS.

MOI, C'EST SES
GRIFFES RÉTRACTILES
QUI M'IMPRESSIONNENT.

GRR...

LAISSEZ-MOI TRANQUILLE !
MIA !

CUBES

TAP TAP TAP

JE CROIS QU'ON L'A UN PEU TROP TRIPOTÉE.

TAP TAP

OUF ! ENFIN LA PAIX !

Au fait ...
J'AI REÇU UNE CARTE DE MAMIE.
C'EST VRAI ?
LIS-LA-NOUS !

ELLE DEMANDE DE TES NOUVELLES, YOHEI.
Et quoi d'autre ?
JE VAIS BIEN !
Papy et mamie sont en voyage.
BLA
Ah bon ? Où ça ?
Dis-nous tout !
BLA
BLA
TILT

BLA
BLA
BLA

DE QUOI ILS PARLENT, TOUS LES TROIS ?

TAP
TAP
TAP
BLA
BLA
HA
HA
HA

TAP
TAP
TAP

FUIT

BLA BLA
TU SAIS...
OUAAH !

HI HI !
BLA BLA
BLA

HUM...

ZE
SAIS !

ROLL

ROLL
REGARDEZ,
ZE SUIS LÀ !
ROLL

RON
RON
MIAW !
FUIT

BLA BLA
BLA BLA
BLA BLA

BEN ALORS ?

TAP TAP TAP TAP TAP

TAP TAP
BOING
BOING
BOING
BOING

HAA…
HAA…
HAA…
HAA…

VOUS AVEZ VU ?!

...
OUAAAH!
HI HI..:
HA HA!
BLA BLA

TAP TAP TAP
FRSH FRSH FRSH
TAP

VOUM

BOING

Chat pitre 24 / fin

Chat pitre 25 Chi est embêtée

SORS DE LÀ, CHI !
PLOP

...

GRIP

C'EST À MOI !
MIAAW !
MAIS EUH !

ZE L'AI EU AVANT TOI !
MIAAW !

FRSH
OH ?
QUELQU'UN APPROCHE...

CLAP
AH !
!
HÉHÉ !
GRIP
RENDS-LE-MOI !
MIAOU !
NON !
J'EN AI BESOIN !
FRSH
QUELQU'UN APPROCHE !
JE T'AI EUE !
CLAP
FRSH
BAH ?

Chat pitre 25 / fin

Chat pitre 26 Chi fait une rencontre

ZAP
TAP TAP TAP...
DASH
POC
OUF
IL FAIT PEUR, CE CHAT…

MAIS QU'EST-CE QU'IL FAIT ?

TAP

OUAH !
TAP TAP TAP

TAP TAP TAP
!
JE SAIS PAS QUOI FAIRE… J'AI TROP PEUR…

MIAA-AOUUU !

SORS DE LA MAISON !
MIAAAW !

MIAA-AOUUU !

FIXE

OH NON, CHI VA SE FAIRE MANGER !

SNIF SNIF
!

SSS

KIII

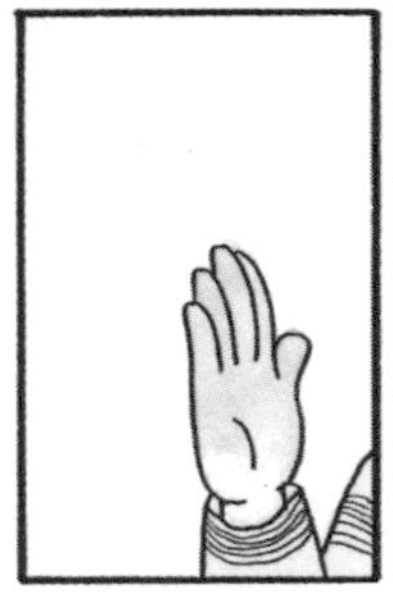

ZIP

OUSTE !
OUSTE !

VA-T'EN !
OUSTE !

YOHEI, T'ES NUL.

TAP
GRR
C'EST LA MAISON DE CHI ET SA FAMILLE !
KSSS !
T'AS PAS LE DROIT D'Y RENTRER !
KSSS !
QUOI ?
QU'EST-CE QUI SE PASSE ?
VRR
!
VRRR
OUSTE ! OUSTE !
KSSS !

VRRR
VRRR
ALLEZ, VA-T'EN !
OUSTE ! OUSTE !
KSS !

DEHORS !
OUSTE !
KSSSS
VRRR

TAP
TAP

FRSH
FRSH

TAP

MIAOU !
C'ÉTAIT TERRIBLE !
UN GROS CHAT EST RENTRÉ DANS L'APPARTEMENT !
MIA MIA
MIA !
IL ÉTAIT ÉNORME ET TOUFFU !
IL ÉTAIT TOUT NOIR, GRAND COMME ÇA !
MIA !
IL AVANÇAIT À PAS LOURDS AVEC UN REGARD MENA-ÇANT !
IL AVAIT UN AIR UN PEU MÉCHANT !
Comme ça !
C'EST SÛREMENT LE GROS CHAT QUI A ÉTÉ REPÉRÉ DANS L'IMMEUBLE.
JE CROIS BIEN QU'IL S'EST DÉJÀ INVITÉ CHEZ PLUSIEURS VOISINS.
HUM…
POURVU QUE LA RUMEUR NE PRENNE PAS D'AMPLEUR…

SI LES VOISINS SE FOCALISENT SUR LES CHATS, ILS VONT FINIR PAR REMARQUER CHI.
C'EST EMBÊTANT.

AH, LES CHATS…

MIAOU !

TU SAIS, PAPA…

CHI AURAIT PU SE FAIRE MANGER, MAIS JE L'AI DÉFENDUE !
MIAW !

YOHEI NE FAISAIT PAS LE FIER !

PAS VRAI, YOHEI ?
MIAW !

MAIS AU FAIT…

CETTE CRÉATURE BIZARRE…
ZE ME DEMANDE BIEN CE QUE C'ÉTAIT…
MIA ?

Chat pitre 27 Chi est embêtante

TU VAS JOUER CALMEMENT DANS LE SALON, D'ACCORD ?
Oui, maman !

HUM…

TAP
TAP
TAP
TAP
TAP

TU VIENS ZOUER, PAPA ?
MIAOU !

ALLEZ, ALLEZ !
MIAW !
MIAW !
HUM…
HUM…
HUM…

…

FRSH
FRSH
FUIT

HOP
ÇA NE VAUT PAS UN CLOU.
POC
POC
POC
FRR
FRR
OUAAAH !
TAP TAP TAP TAP
HI HI HI !
MIAAA !
TAP TAP TAP TAP
FRSH
FRSH

PFF…
POC

TAP

MIAOU !
C'EST RIGOLO !
FRSH
FRSH
FRSH

MIAW !
MERCI, PAPA !

AAH…
LES CHATS SONT SI INSOUCIANTS…
Pause toilettes…
TAP TAP

?

QU'EST-CE QU'IL Y A, LÀ-DESSUS ?
SWIP SWIP
TOUT PLEIN DE ZOUETS !
MIAAA !

PFF...
JE SUIS COIN-CÉ.
FSSH

JE NE SAIS PAS QUOI FAIRE.
JE PIÉTINE...
IL FAUT QUE JE TROUVE UNE IDÉE...

TIP TIP
TIP
PSHH
MIAW !
C'EST RIGOLO !
FRSSH
ZAP
MIAW !
C'EST TOUT BIZARRE !
DIS DONC...
TIP TAP
TIP
TIP TAP
TIP TAP
TIP
MIAOU !
ZE M'AMUSE BIEN, MOI !

MIAW !
TAC

AH NON !
BAM
FRSH
FRSH
FRSH

ARRÊTE TES BÊTISES, CHI !
Regarde-moi ce désordre...
C'est malin, je vais devoir tout ranger !

TIENS ?

UN PROBLÈME POUR TROUVER UNE ACCROCHE ? CONSULTEZ CET OUVRAGE

CTIONNAIRE
8 LANGUES
UN PROBLÈME POUR TROUVER UNE ACCROCHE ? CONSULTEZ CET OUVRAGE

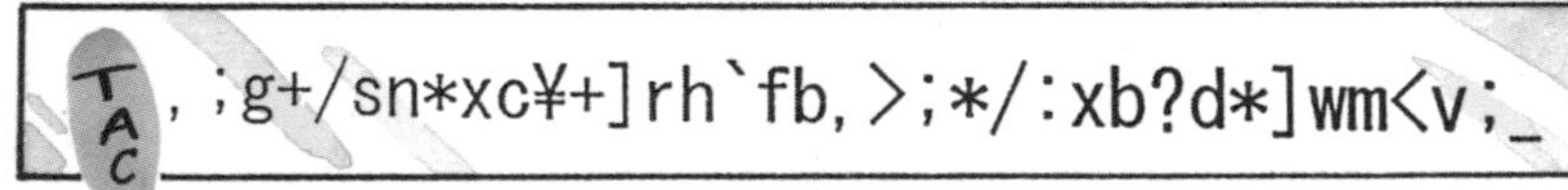

Chat pitre 27 / fin

Chat pitre 28
Chi se fait dévorer
TAP
ROLL
Cette fois, il a cassé mes pots de fleurs !
Où est-il parti ?
BLA
BLA
BLA

!
MAMAN, LE MACHIN BIZARRE EST REVENU ! MAMAN !
MIAW MIAW !
TROIS POTS DE FLEURS ?!
À CE QU'IL PARAÎT.
IL S'ENFUIT TOUJOURS AVANT QU'ON N'AIT LE TEMPS DE L'ATTRAPER.
C'EST TERRI-BLE.
MAMAN N'EST PAS LÀ…
PAPA NON PLUS…
YOHEI NON PLUS…
YOHEI N'AURAIT SERVI À RIEN, DE TOUTE FAÇON.

FUIT

!
IL EST RENTRÉ DANS LA MAISON !

Il n'a pas pu aller bien loin.
Il n'est pas chez vous ?!
BLA BLA

FUIT
BRR

...
IL FAIT PEUR...

MAIS...

ZE DOIS TENIR TÊTE !
GRR

SORS DE
CHEZ MOI !
KSSSS !
GRR
GRR
GRR
!
TAP TAP TAP
TAP
TAP
TAP
TAP
TAP
TAP
TAP
TAP

VOUM

IL VA
M'ÉCRASER !

TAP

OH ?
TAP
TAP

TAP
TAP
TAP

IL NE M'A PAS
MARCHÉ DESSUS.

CROC
CROC

CROC
CROC
CROC
CROC
CROC
CROC

!
C'EST MA GAMELLE !

KSSS !
ARRÊTE DE MANZER MON MIAM-MIAM !

ZIP

CROC
CROC
CROC
CROC
!!

MANZE PAS ÇA !
KSSSS !
BOING
BOING
BOING
CROC CROC
CROC CROC
KSSSS !
MANZE PAS ÇA !
BOING
BOING
TOC
PLAF
...
MON MIAM-MIAM...
TAP
HEIN ?

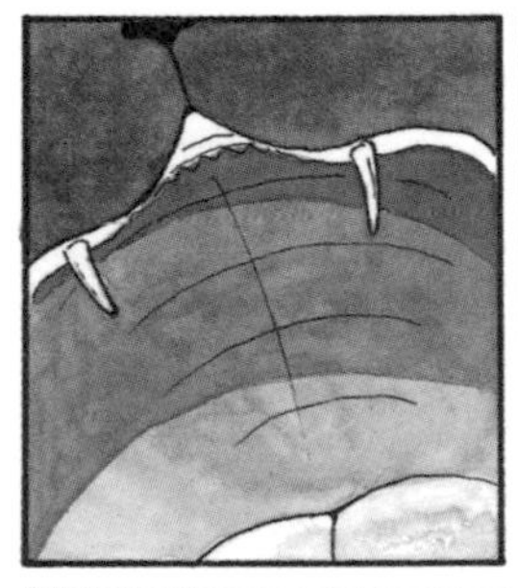

Chat pitre 28 / fin

Chat pitre 29 Chi est à l'affut
GNAP
...
C'EST FINI...
COM-MENT ?
IL L'A AVALÉE ?!

IL A OUVERT GRAND SA GUEULE…
ÇA ALORS…
IL A PRIS LA TRANCHE DE SAUMON ENTRE SES DENTS ET IL EST PARTI EN COURANT !

IL NE CAUSE QUE DES ENNUIS !
AUJOURD'HUI, C'ÉTAIT LES POTS DE FLEUR DE LA DAME DU REZ-DE-CHAUSSÉE…
LA SE-MAINE DER-NIÈRE, C'ÉTAIT MOI…
JE VOIS ÇA…

IL EST VRAIMENT ENQUIQUINANT, CE CHAT !
OH OUI …

HOP

ALLEZ, ZOU !
NYA !

CLAP

TOC

TAP TAP TAP

...

AH BON...

FLOP
IL VOULAIT ZUSTE ME REMETTRE SUR MES PATTES.

!
STAP

BRR

...

SWIP
SWIP
AH NON, MON COUSSIN QUE ZE MORDILLE !
!

KSSS !
PAS TOUCHE !
TAP TAP TAP TAP

SHAAA !
C'EST À MOI !

GRIP

FIXE

FIXE

FIXE

POUM

À QUOI TU ZOUES ?!
SHAAA !

SLURP
SLURP
SLURP

IL ME LISSE LA FOURRURE...

NYA !
TU ÉTAIS TOUT ÉBOURIFFÉE.
IL EST PLUS ZENTIL QU'IL EN A L'AIR.
MAIS IL A MANZÉ MON MIAM-MIAM.
GRR
FUIT
BRR
STAP

SLUP
SLUP
SLUP
SLUP
SLUP
SLUP
SLUP
TAP
AU REVOIR.
NYA !
FRSH
FRSH
OUF...

Chat pitre 29 / fin

Chat Pitre 30 Chi raconte

ELLE A MANGÉ TOUTES SES CROQUETTES !
ALORS QUE JE LUI EN AVAIS MIS UN GROS TAS !
AH BON ?
ELLE A TOUT ENGLOUTI ?!
OUI !

MIAW !
Z'ÉTAIS TOUTE SEULE À LA MAISON…

MIAOU !
Z'AI TENU BON FACE À LUI !

POM

C'EST BIEN, CHI !
MAIS OUI…
FROTT FROTT

MIAAA !
TU AS COMPRIS, PAPA ?!
HÉ HÉ
HÉ HÉ !
TU T'ES BIEN RÉGALÉE ?

TU AS COMPRIS ?

J'AI FAIM !
TOC
ÇA TOMBE BIEN, C'EST L'HEURE DU DÎNER !
DÎNER ?!
OH, CHIC ! Z'AI LE VENTRE TOUT VIDE !
MIAOU !
BON APPÉTIT !
OH ?!
Z'AI RIEN DANS MA GAMELLE.
MIAAA !

MAMAN, TU N'AS PAS DONNÉ DE CROQUETTES À CHI ?
MIA ! MIA !
MOI AUSSI, ZE VEUX DÎNER !

NON, ELLE A TROP MANGÉ.
ELLE POURRAIT FAIRE UNE INDIGESTION.

TU COMPRENDS ?
CHOMP

CHOMP
D'ACCORD.

CRONCH
CRONCH
CRONCH
CHOMP
CHOMP
CHOMP
CHOMP

CHOMP
ELLE A DÉJÀ EU SA PART À MIDI.

MIAOU !
Z'AI FAIM ! Z'AI FAIM !

MIAW MIAW !
GRIP
ZE MEURS DE FAIM !

HÉ HÉ HÉ...
CHI DÉBORDE D'ÉNERGIE !

AU FAIT…
IL Y A ENCORE EU UN SCANDALE DANS L'IMMEUBLE, AUJOURD'HUI, À CAUSE DU GROS CHAT QUI N'ARRÊTE PAS DE FAIRE DES BÊTISES.

IL EST REVENU ?!
OUI, IL A CASSÉ DES POTS DE FLEURS…
ET IL A VOLÉ UNE TRANCHE DE SAUMON.
DE SAUMON ?!

IL EST COMMENT, CE CHAT ?
Impression-nant...

IL A UNE TÊTE TOUTE RONDE…
POUING

IL EST NOIR…
TRAPU…
ZIP

MIAAA !
Z'AI RIEN MANZÉ DE LA ZOURNÉE !

MIAW !
À CAUSE DU MONSTRE QUI EST VENU METTRE LE BAZAR !

IL A DES YEUX MÉCHANTS.
IL MARCHE À PETITS PAS LOURDS.

ET IL A DÉVORÉ TOUT MON BON MIAM-MIAM !
MIAOU !

IL ME ZETAIT DES REGARDS NOIRS...
MIAAA !
FIXE
IL ME GROGNAIT DESSUS...
MIAAA !
GRR

TU T'EN ES FAIT UNE IDÉE ?

PLUS OU MOINS...
HA HA...

IL FAUDRAIT QUE TU LE VOIES EN VRAI.

AH !
JE SAIS.

VOILÀ.
COPAIN DES BOIS

IL RESSEMBLE À ÇA.
EN PLUS, IL TIENT UN SAUMON DANS SA BOUCHE.

OH !
HEIN ?!

OURS BRUN

OURS BRUN
UN OURS BRUN ?!
ENCYCLOPÉDIE ILLUSTRÉE
COPAIN DES BOIS
ENCYCLOPÉDIE ILLUSTRÉE

OUI, C'EST LUI ! C'EST LUI !
KSSS !

C'EST VRAI QU'IL Y A UN AIR DE FAMILLE.
COPAIN DES BOIS
KSSS

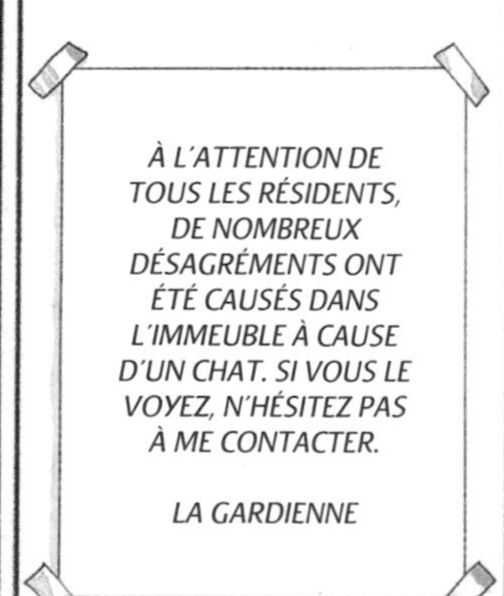

Chat pitre 30 / fin

Chat pitre 31 Chi utilise sa tête

IL ME SEMBLE QU'IL NE FAUT PAS DONNER DE LAIT AUX CHATONS…
SLUP SLUP SLUP
LAP LAP
AH BON ?
JUSTE UN PEU, ALORS.
DULÈ…
C'EST TROP BON !
MIAOU !
ZE VEUX ENCORE DULÈ !
TOC
LAIT
VOILÀ, C'EST TOUT !
TAP TAP TAP
!
DULÈ !

LAIT

DULÈ !

Z'EN VEUX !

COMMENT FAIRE POUR L'ATTRAPER ?

TU PRÉFÈRES LESQUELLES ?
CELLES-LÀ !
CORN FLAKES

MAMAN !

MIAAW !
MAMAN, DONNE-MOI DULÈ !
TAP
TAP
TAP

MIAW !
TU VEUX BIEN ?
D'ACCORD.
FRR
FRR
CORN FLAKES

DULÈ !
MIAA !
TAP
TAP
LAIT
SSS

OH OUI,
DULÈ ! ♡

BAH ?!
ET-MON
DULÈ ?

TAP
TAP
TAP

DONNE-MOI
TON BOL.
TIENS !
CORN
FLAKES
LAIT

CORN FLAKES
FRR
FRR

VOILÀ...
LAIT
UN PEU DE LAIT.

GLOU
GLOU
GLOU

GLOU
GLOU
C'EST ÇA !
TAP TAP TAP

MIAW !
CHI AUSSI VEUT DULÈ !

DANS MA GAMELLE !
SUR MES CROQUETTES !
TOC
TOC
MIAW !

TOC
TOC
TOC
MIAA !
LAIT
CORN FLAKES
TOC
TOC

OUI, OUI !
JE VAIS TE SERVIR AUSSI.
SLURP
DULÈ !
TU AIMES ÇA, HEIN ?
TIENS, VOILÀ DES BONNES CROQUET-TES.
CROQUETTES POUR CHAT
FRR FRR
FRR FRR FRR
HEIN ?!
C'EST PAS CE QUE Z'AI DEMANDÉ !
LAIT

DULÈ…

LAIT

QU'EST-CE QUE ZE PEUX FAIRE POUR EN AVOIR ?!

ZE SAIS !

CRR
CRRR

CRR CRR CRR

TIENS, TIENS !
CHI EST MALIGNE !

MIAW !
ZE PEUX AVOIR UN PEU DE DULÈ ?
LA

LAIT
SSS

TU VEUX MANGER AVEC NOUS ?

TU AS FAIT TOMBER TES CROQUETTES.
TIENS.

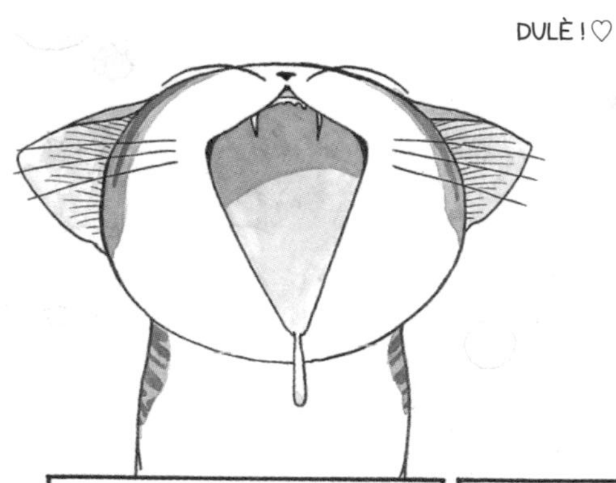
DULÈ ! ♡

CLAC

MAIS ?!

TAP
TAP TAP

TOC
LAIT
AAAH !
SSS
CLAP
SNIF

BON-
SOIR !
FLOP
LAIT
Supermarché

LAIT

DU... DU...
DU... DU...
LAIT
Supermarché

DULÈ !

FRSH FRSH FRSH
DULÈ ! DULÈ !

GRR

MIA !
MAMAN, ÉCOUTE. ZE VEUX ABSOLUMENT DULÈ.
LAIT

D'ACCORD, JE VAIS TE LE DONNER.
OUAAAH
DULÈ !
JE SAIS QUE TU ADORES LES SACS PLASTIQUES.
FRRI
LAIT
MAIS NON...
...

POF
C'EST PAS ÇA DU TOUT ! C'EST DULÈ QUE ZE VEUX !
MIAAA !
FRRI
FRRI
FRRI

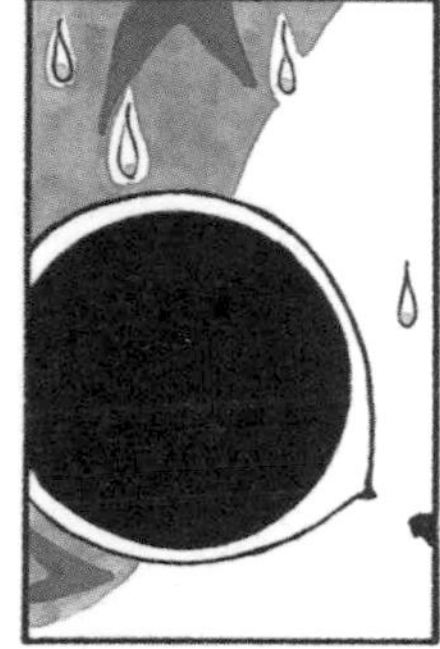

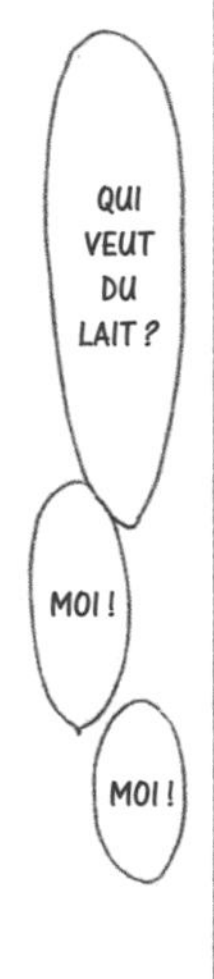

Chat pitre 31 / fin

Chat pitre 32 Chi ennuie papa

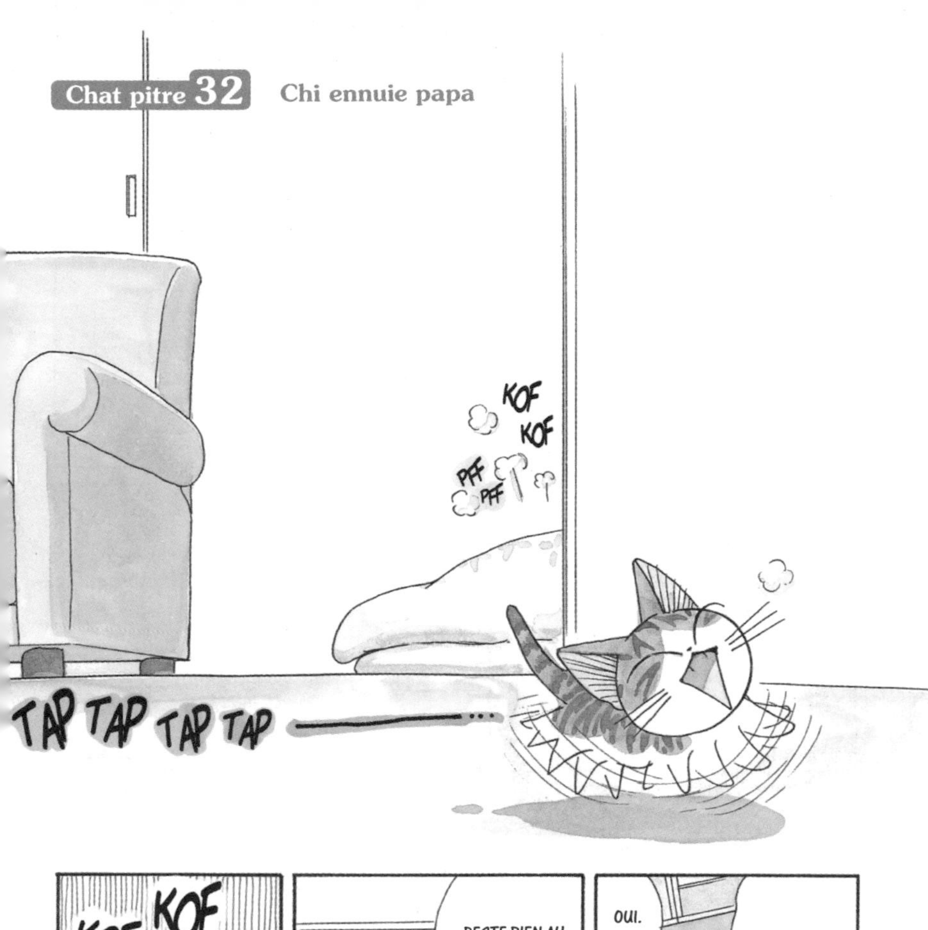

AP TAP TAP TAP
MIAOU !
TU FAIS QUOI, PAPA ?
CHI...
TU T'INQUIÈTES POUR MOI ?
C'EST GENTIL.
TU AS QUELQUE CHOSE SUR LA TÊTE !
MIAW !
AAAH !
ARRÊTE !
CRR CRR CRR
GRIP
AH ?!
CRRR

MIA !
ZE TE L'AI ENLEVÉ !
CHI...

KOF
RENDS-MOI ÇA !
MIAA ...
C'EST QUOI ?
PLAF
PLAF

ON ZOUE ?!

GRIP

CHI...
J'AI DE LA FIÈVRE, TU SAIS...
PFF
PFF
MIAAW MIAAW !
ATTENTION, ZE TIRE !
CRR
CRR

PFF
FLAP

AAH...

PAPA A
GAGNÉ.

DE L'EAU ?

MIA !
Z'AI SOIF !

GNNN...

OH ?!

HEIN ?
TAC
TAC
TAC
TAC

CLING
AAAH !
FLAP
TAC
TAC
TAC
HIIII...
...
MIAAW !
ÇA MOUILLE !
PFF
PFF
CHI.
KOF
KOF
PFF
PFF
PFF...
FROTT
FROTT
SLUP
SLUP
SLUP

NE RENTRE PLUS DANS LA CHAMBRE.
PFF
PFF
PFF

VRRR
CLAC

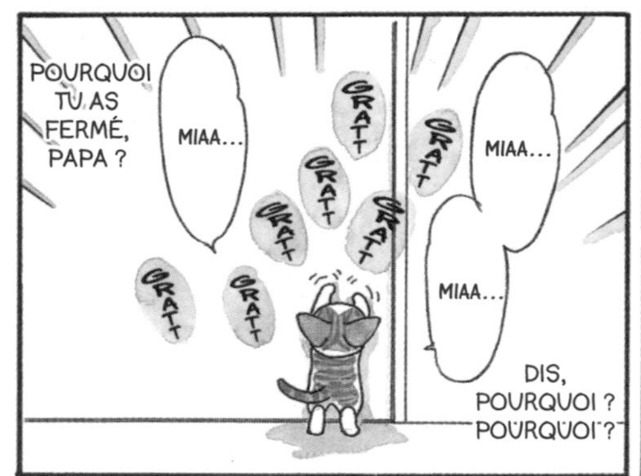
POURQUOI TU AS FERMÉ, PAPA ?
MIAA…
GRATT
MIAA…
MIAA…
DIS, POURQUOI ? POURQUOI ?

OH ?!

SHHH

OUF, ENFIN UN PEU DE CALME.
JE VAIS POUVOIR DORMIR.
PFF
PFF

OUAAAH !
CUI
CUI
MIAW !
UNE PROIE !

MIA !
TAP TAP TAP
MIAW !
PAPA !
PAPA !

MIAOU !
Z'AI VU UNE PROIE !
GRATT
GRATT
GRATT
GRATT
MIAOU !
IL Y A UNE PROIE DEHORS !

GRATT
GRATT
GRATT
GRATT
GRATT
RESTONS CALME.
C'EST TOUJOURS MIEUX QUE SI ELLE ÉTAIT DANS LA CHAMBRE.

SHHHH

OUF, C'EST FINI.
ZZZ
ZZZ

CLANG

ÇA VA, PAPA ?
MIAW !
AAH…

TAP
TAP
TAP
TAP
MIAW !
TU VIENS ZOUER, PAPA ?
...

MIA !
MIA !
BOING
MIA !
...

NOUS REVOI-LÀ !
TU AS PU TE REPOSER UN PEU ?
PFF
PFF
J'AI ENFIN RÉUSSI À L'ENDORMIR...
PFF
PFF
ZZZ—...
EXTÉNUÉ
PFF

Chat pitre 33 Chi tâtonne

FSSH
FSSH
FSSH
BONNE NUIT, YOHEI.
MIAAW !

C'EST BIEN MOELLEUX...

OH ?
VROUM !

VROUM, VROUM !
FLOP

...

VROUM !!
YOHEI EST TROP REMUANT, ZE VAIS CHERCHER AILLEURS.

FLAP
FRR
FRR
BONNE NUIT, MAMAN.
MIAAA...
FSSH
FSSH
FSSH
OH, C'EST TOUT DOUX !
PLOF
MIAW !

HOP
VA JOUER PLUS LOIN.

IL FAUT QUE ZE TROUVE UN BON ENDROIT POUR DORMIR…
TAP TAP TAP

POURQUOI PAS ?
FSSH
FSSH

BONNE NUIT, PAPA.
MI-AOU…

BOBOM
BOBOM
OH ?!

BOBOM
BOBOM

ÇA ME RAPPELLE...

BOBOM
BOBOM

AH ?!

FRSH
FRSH
FRSH
FRR

CHI, QU'EST-CE QUE TU FAIS AVEC TES PATTES ?
FRR
FRSH
FRSH
FRR

FRR
FRSH

FRR

FRSH

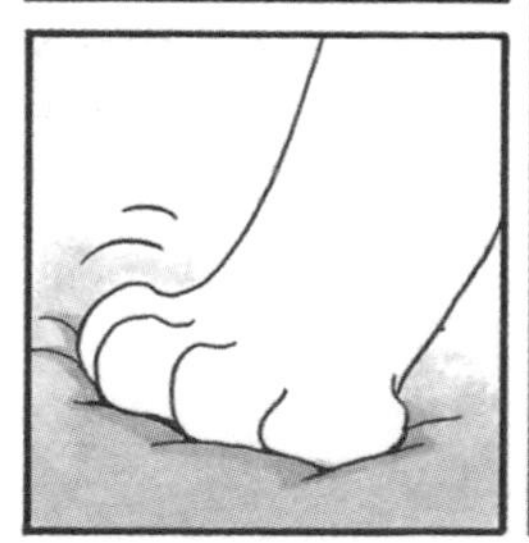

AAAH !

FRRR

FROTT FROTT

FRR

CHI...
RRR

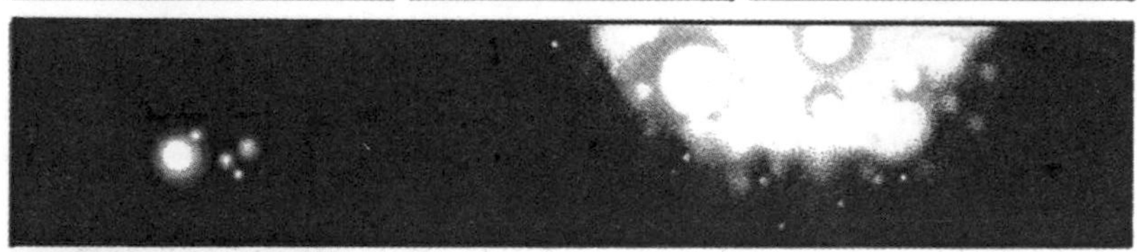

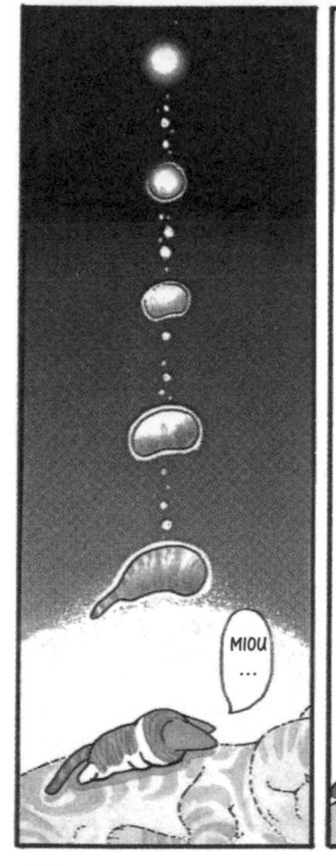

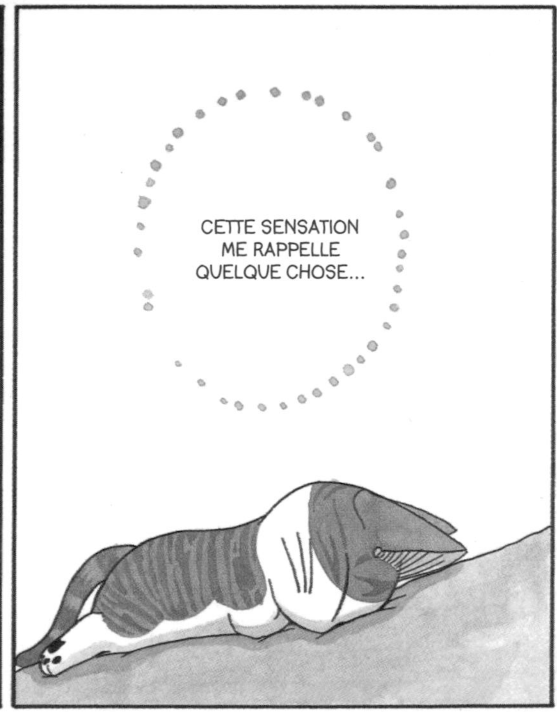

Chat pitre 33 / fin

Chat pitre 34 Chi poursuit un congénère

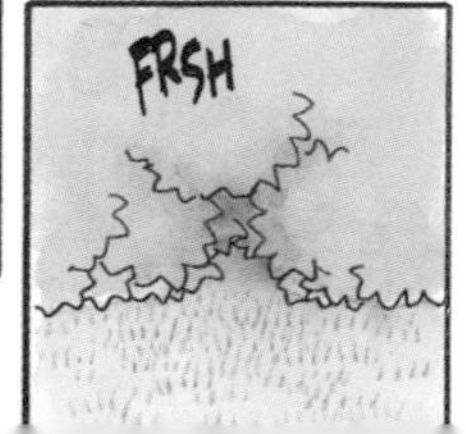

DE QUEL DROIT
IL PASSE PAR
MON ZARDIN ?

MIA ?
OÙ EST-CE
QU'IL VA,
COMME ÇA ?

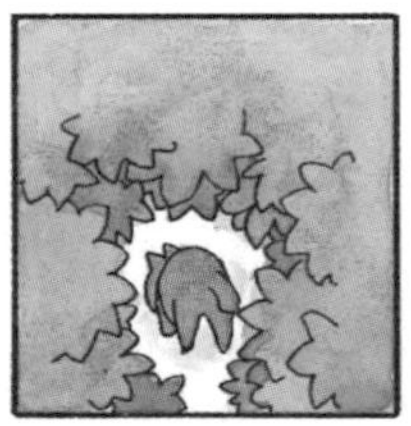

QU'EST-CE
QU'IL FAIT ?

SLLLP

TAP TAP TAP

CRONCH
CRONCH CRONCH

MIAOU ?
QU'EST-CE QUE TU FAIS ?

MIAA ?
TU MANZES DE L'HERBE ?
NYA !
SALUT.

MIA ?
C'EST BON ?

NYA !
DE TEMPS EN TEMPS, C'EST BON POUR LA SANTÉ. POUR NOTRE ESPÈCE, DU MOINS.

MIA ?
ESPÈCE ?

NYAR !
ÇA VEUT DIRE DE LA MÊME FAMILLE.
SLUP

FAMILLE ?

MIA !
MAIS NON !
MIAW !
CHI FAIT PARTIE DE LA FAMILLE DE YOHEI, PAPA ET MAMAN.
...
KOF KOF KOF
KEUF
TAP TAP
AU REVOIR.
NYA !
MIAW !
C'ÉTAIT PAS BON, EN FAIT ?
DIS, DIS, DIS !
MIAOU !
FRSH
OH ?!

MIAH !
ON ZOUE À CACHE-CACHE ?!

MIAW !
ZE T'AI TROUVÉ !

MIAW !
QU'EST-CE QUE TU FAIS ?

BING
VLOUM

?!

GRR

OH NON,
ZE DÉTESTE
CES TRUCS...

...
BRRR
BRRR
BRRR

SNIF SNIF
SNIF

TAP TAP
TAP TAP

ARF
ARF
TAP
TAP
TAP

OUF

ÇA FAISAIT PEUR, CETTE
PARTIE DE CACHE-CACHE...

TAP TAP

MIA-AW !
IL FAUT QUE ZE M'AMÉLIORE !
TAP

NYAR !
TU N'AURAS RIEN À CRAINDRE D'EUX SI TU TE RÉFUGIÉS EN HAUTEUR.

MIAAA ??
HEIN ?

MIAAW !
Z'ARRIVE PAS À GRIMPER !
BOING BOING BOING

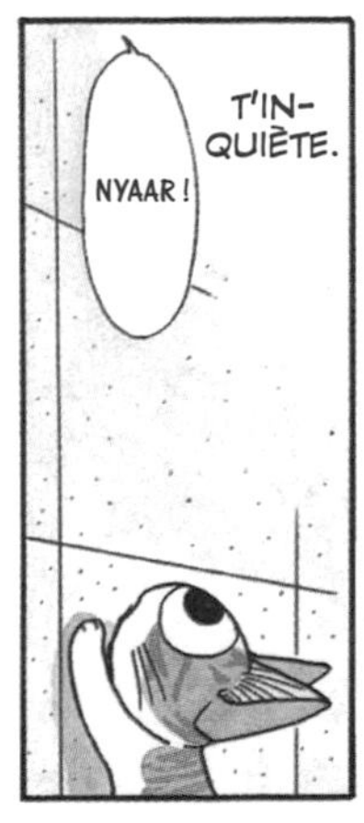
NYAAR !
T'IN-QUIÈTE.

ÇA VIENDRA.

Chat pitre 34 / fin

Chi rentre à la maison

ELLE EST OÙ,
LA MAISON ?
ZE SUIS
OÙ, LÀ ?

...

CUI
CUI

OH ?!

Z'AI
L'IMPRESSION
D'ÊTRE DÉZÀ
VENUE PAR ICI.
MAIS
QUAND ?
ZE ME
SOUVIENS
PLUS...

?

OUAF OUAF !
ARF
ARF
OUAF !
BRR

OH NON, Z'AI TROP PEUR ! QU'EST-CE QUE ZE VAIS FAIRE ?

MAIS OUI ! ZOUER À CACHE-CACHE !
!

FRSH

OUAF OUAF !
ARF
ARF

OUAF !

OUAF
OUAF !
ARF
ARF
TAP TAP TAP TAP

OUAF !
ARF
ARF
TAP TAP TAP TAP

TAP TAP TAP TAP

Z'AI
GAGNÉ !
MIAW !

ZIP

C'EST PAR OÙ,
LA MAISON ?!
!

ÇA DOIT ÊTRE PAR LÀ !

ZE RENTRE À LA MAISON !
TAP TAP TAP ——...

PAR ICI, PAR ICI !
TAP TAP TAP ——...

TAP TAP TAP ——...
PAR ICI, PAR ICI !

AH !

LA MAISON !
MIAAA !
ZE SUIS RENTRÉE !
C'EST MOI !
MIAW !
POM
COUCOU, YOHEI !

Chat pitre 35 / fin

Chat pitre 36 Chi se rebelle

ZE VEUX PAS RENTRER LÀ-DEDANS !
TAP TAP
AH !
CHI, RE-VIENS !
PETITE VÉRIFICATION AVANT DE SORTIR…
FUIT
FUIT
!
CHÉRI !
CHI !
NE SORS PAS MAINTE-NANT !
TAP TAP TAP TAP

CHI S'EST ENFUIE !
ET LA GARDIENNE EST DEHORS !
AAAH !
HIIII
FLAP FLAP
TAP
AAAH !
TAP TAP TAP TAP
TAC
HAA...
HAA...
TAP TAP TAP TAP

AAH...

Z'IRAI PAS AVEC PAPA.

OUF

QU'EST-CE QU'ON VA FAIRE ?

SSS
AH...
JE VAIS L'ATTRAPER VITE FAIT.

BONNE CHANCE, CHÉRI !
C'EST PARTI...

HUMPF
TAP TAP TAP

SSS

!
TIENS, MONSIEUR YAMADA !
CLAC

VOUS ÊTES PRESSÉ ?

OUH
LÀ…
OH NON,
PAS DU TOUT !
C'EST
QUE…
EUH…

OOH…

J'AVAIS
JUSTE
ENVIE DE
GAMBA-
DER GAIE-
MENT…
TOUTE CETTE
VERDURE, ÇA ME
MET EN JOIE !
HA HA
HA HA
C'EST VRAI,
LE PRINTEMPS
EST UNE BELLE
SAISON !

BONNE
JOUR-
NÉE !
FUIT

AAAH !
TAP
TAP
TAP
TAP

QU'Y A-T-IL ?
TAP TAP TAP
EUH…
IL FAIT BEAU, AUJOURD'HUI, N'EST-CE PAS ?
C'EST VRAI.

BZZZ

BIEN…
FUIT

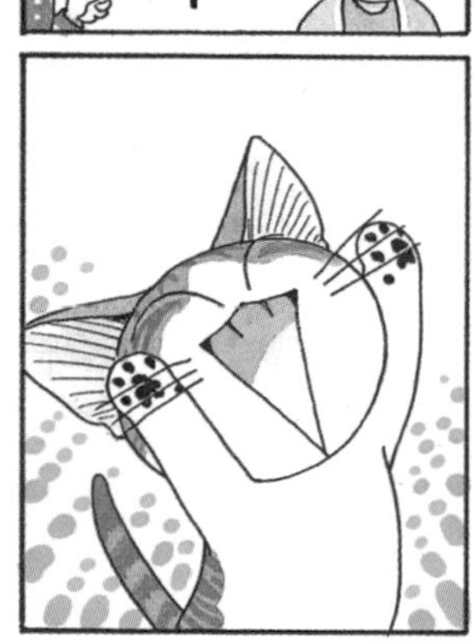

AAAH !
BZZZ

VOUS VOULEZ ME DIRE QUELQUE CHOSE ?
FUIT

EN FAIT…
VOILÀ…
EUH…
OUI ?

À L'ATTENTION DE
TOUS LES RÉSIDENTS,
DE NOMBREUX
DÉSAGRÉMENTS ONT
ÉTÉ CAUSÉS DANS
L'IMMEUBLE À CAUSE
D'UN CHAT. SI VOUS LE

VOYEZ, N'HÉSITEZ PAS
À ME CONTACTER.

LA GARDIENNE

Chat pitre 36 / fin

Chat pitre 37 Chi résiste

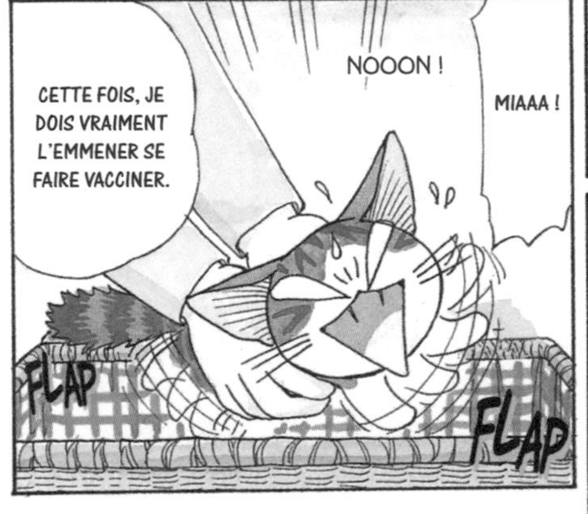

GROAR

GNAP

AÏE !
DASH
SAUVE QUI PEUT !
TAP TAP TAP TAP

CLAC
CLAC
CHI, REVIENS !
TAP TAP TAP
CLAC

CHI...

ELLE SAIT TRÈS BIEN QUE QUAND TU LA METS DANS CE PANIER, TU L'EMMÈNES CHEZ LE VÉTÉRINAIRE.

IL VA FALLOIR RUSER.
FLAP
OH...
ON CACHE LE PANIER SOUS CE DRAP...
CHI ! VIENS, PETITE !
TU PEUX TOUZOURS COURIR !
CHI !
TIP TIP TIP
OH ?
LA CAZE N'EST PLUS LÀ.
TIP TIP TIP TIP
TIP
ZE VEUX ZOUER AUSSI !
MIAW !
OUAAAH !
DASH

MIA !
MAINTE-NANT !
FLAP
LÂCHE-MOI !
MIAAA !!
GRIFF
TU M'AS BIEN EUE, PAPA !
MIAAA !
ÇA A MARCHÉ !

OUILLE !
MIAW !
TAP TAP TAP TAP
AU SE-
COURS !
ZE VAIS ME
CACHER !
TAP
TAP TAP
LÀ-DESSOUS,
CE SERA BIEN.
FRR
FRR
CHI !
LA
VOILÀ.

TOC
TOC

HÉ HÉ

Z'AI TROUVÉ UNE BONNE CACHETTE.
MIAOU !

PAPA ET MAMAN NE POURRONT PAS M'ATTRAPER.
MIAW !
ZIP

PRISE AU PIÈGE !

HEIN ?
MIA ?

YOHEI ?!

BRAVO, ON DIRAIT QUE TU AS CAPTURÉ UN ANIMAL FÉROCE !
BIEN JOUÉ, YOHEI.
CLAP
CLAP

YOHEI ! YOHEI !
MIAW !
GNN
GNN

QU'EST-CE QUE TU FAIS ?
MIAAA !
GNN
GNN

POF

À TOUT À L'HEURE, CHI !
!

Chat pitre 37 / fin

Chat pitre 38 Chi fait la tête

GROAR
SHAAA !
TAC

ZIP

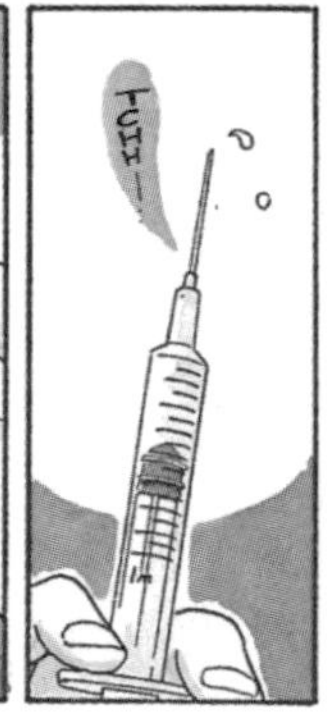
TCHH !

?!

QU'EST-CE QU'IL VA ME FAIRE ?!
MIAAA !

SALUT ! QU'EST-CE QUI T'ARRIVE ?
NYAR !

TOUT LE MONDE ME FAIT DES MISÈRES...
MIAAAW !

ZE ME SUIS ENFUIE DE CHEZ MOI.
MIAAH...
DASH

ZIP

NYAR !
GRATT
GRATT
GRATT
JE VOIS...

MOI QUI PENSAIS QUE C'ÉTAIENT MES AMIS...
MIAAAW !

HEIN ?
AU FINAL, C'EST TOUJOURS LA MÊME CHOSE.
NYAR !
GRATT GRATT GRATT GRATT
COMMENT ÇA ? EXPLIQUE !
MIA ?

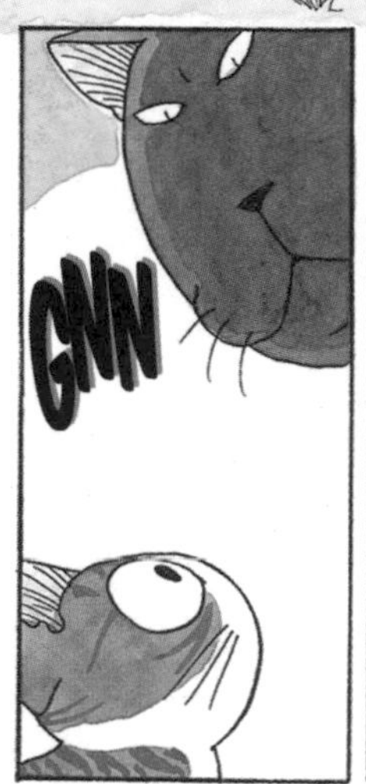
GNN

IL NE FAUT PAS TROP FAIRE CONFIANCE AUX HUMAINS.
NYAAR !

C'EST VRAI, ON NE PEUT PAS LEUR FAIRE CONFIANCE !
MIAAW !
GRR

C'EST QUOI, LA "CON-FIANCE" ?
MI !
C'EST QUELQUE CHOSE QU'ON ACCORDE À SES AMIS.
NYAR !
MAIS EUX, CE NE SONT PAS DES AMIS.

NYAR !!
OUAIS.
MIAW !!
C'EST VRAI !
MIAW !
T'AS RAISON ! C'EST PAS DES AMIS !
NYAR !
OUAIS.
MIA !
ZE SUIS D'AC-CORD.
SHHH
MIAW !
SALUT !
NYA !
À PLUS TARD.
STAP
MIAAA !
TU VAS OÙ ?

JE RENTRE À LA MAISON, C'EST L'HEURE DU DÎNER.

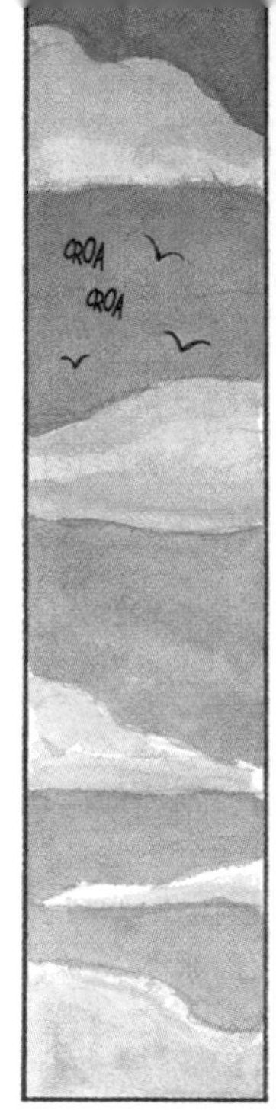

*N.D.T. : SUSHIS ROULÉS DANS UN CORNET D'ALGUE

C'EST QUOI ?
CUBE
CUB
POM
C'EST UN MORCEAU DE THON.
MOI, J'AI MIS DE L'OMELETTE.
MOI, DES ŒUFS DE SAUMON.
MOI, JE COMMENCE TOUJOURS PAR LE THON.
MIA !
C'EST POUR CHI ?!

TOC
TOC

SLUP
SLUP

CHOMP
CHOMP
CHOMP

OH… C'EST DÉLICIEUX !

BRR
BRR
BRR

ÇA TE PLAÎT ?
TU AIMES ?
C'EST BON, HEIN ?

CHI…

Chat pitre 38 / fin

Menu spécial Chaton rencontre Fuku-Fuku

MRAOU ?

FLAP
FLAP
ATTENDS !
MIAW !

TAP

FLAP
FLAP

FSSH
FSSH
FSSH
MIAAW !
ÇA VOLE !

HI HI HI !
MIAAA !
FSSH
FSSH
FSSH

...

FUIT
TOC
TOC

MIAA !
AH !

MIAA !
OH !

OOH !
MIAAA !

FSSH
FSSH
FSSH
MIAAA !
ATTENDS !

MIAA !
C'EST RIGOLO !
FSSH
FSSH
FSSH

FSSH
FSSH
FSSH

FSSH
FSSH
FSSH

TILT

FIXE

GROAR !

TOC TOC

C'EST QUOI ?
MIAOU !
FSSH FSSH FSSH

GRRR

FLAP

FLAP
FLAP

FLAP

FLAP

FLAP

FLAP

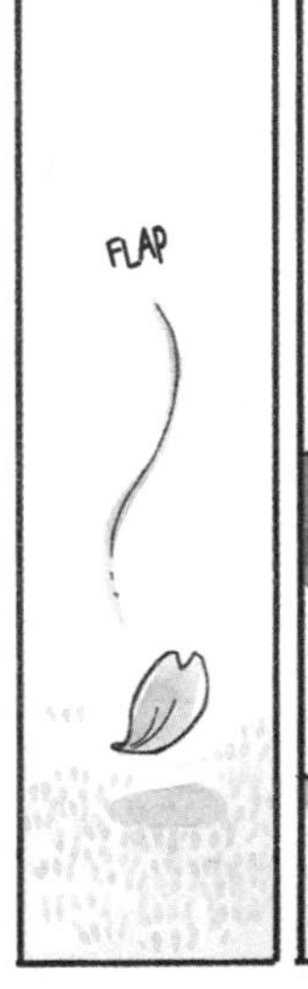
FLAP

Chi – Une vie de chat 2 / fin

Interview de Konami Kanata, la créatrice

– La réalisation de *Chi - Une vie de chat* –

"Nyar. Nyanyar. Nyar. Nyanya. Nyaar. Nya, nyar."

(Traduction) "Bonjour, c'est Noiraud. Merci d'avoir lu le tome 2 de *Chi - Une vie de chat*. Toujours attentifs à la qualité et à la sécurité de notre produit, nous avons décidé de nous adresser directement à la créatrice qui va elle-même vous décrire tout le processus de fabrication du livre que vous tenez entre les mains. Afin de vous garantir toute la transparence due à votre rang de lecteur privilégié, nous allons publier cette interview entre ces pages. Veuillez agréer en l'expression de nos sentiments les meilleurs."

L'étape la plus éprouvante, c'est le story-board ! Mon cerveau travaille à 100 % !

Noiraud (ci-dessous, **N**) : Nyar, nyaar. (Salut, Konami. Comment ça va ?)

Konami (ci-dessous, **K**) : Bonjour ! Je suis un peu nerveuse.

N : Nyar. (Ne t'inquiète pas, tu vas vite t'habituer. Tout d'abord, j'aimerais que tu nous énumères les différentes étapes de réalisation de Chi - Une vie de chat.)

K : Eh bien, tout commence par une réunion avec la rédaction du magazine. On échange nos idées de scénarios, on réfléchit à comment les relier au chapitre précédent et au chapitre suivant pour établir une continuité, et on détermine l'histoire dans les grandes lignes. On appelle ça une réunion, mais ce n'est pas aussi formel qu'on pourrait le croire, c'est plus une grande séance de bavardage. On se consulte pour savoir quelle attitude serait la plus mignonne pour Chi, on se remémore ce qu'elle a fait précédemment, on prend en compte les remarques que les lecteurs nous ont transmises par courrier… Après, je dessine le story-board et c'est reparti pour une autre réunion. Si mon story-board est accepté, je passe à la réalisation des planches : je dessine au crayon sur du papier rigide puis je passe mes dessins à l'encre. Si les planches sont en noir et blanc, il faut ensuite coller des trames pour les ombres et les finitions. Si le manga est en couleur, je prends mes encres colorées, mes pinceaux, et au travail !

Les étapes de la réalisation d'un manga

1) Réunion préparatoire
2) Story-board (Croquis au brouillon du manga. Dessiné au crayon, il met en place les principaux éléments et dialogues du chapitre)
3) Réunion sur le story-board
4) Ebauche des planches (sur du papier rigide)
5) Encrage (Repasser les dessins à l'encre avec un porte-plume)
6) Collage des trames (Feuilles adhésives pour griser ou appliquer des motifs)
7) Mise en couleur

N : Nya. (Ca a l'air facile, dit comme ça.)
K : Quoi ? C'est tout ce que tu trouves à répondre ? Mais non, c'est un travail de Titan !
N : Nyar ? (Ah bon… Quelle est l'étape qui te donne le plus de fil à retordre ?)
K : Le story-board ! Je dois créer le scénario à partir de zéro, mon cerveau travaille à 100 % ! Je me creuse tellement la tête que parfois, mon cerveau passe en mode "surmenage" : il s'arrête tout seul et je m'endors sans m'en rendre compte !

Quand elle s'énerve, les poils de sa queue gonflent, comme Chi.

N : Nyar. (Tu as toi-même un chat. Est-ce qu'il t'arrive de l'observer pour dessiner ?)
K : La première fois que j'ai eu un chat, je me suis mise à l'observer sous toutes les coutures, pendant une journée entière. J'avais l'impression d'être devenue moi-même un chaton. A présent, je n'ai pratiquement plus besoin de regarder mon chat pour dessiner mes mangas. Mais j'ai une photo d'elle sur mon bureau, une photo que j'aime beaucoup, que j'avais prise quand elle était toute petite. Je regarde souvent sa bouille de petit fauve ! Parfois, je joue aussi à cache-cache avec elle. Quand elle sort la tête de sa cachette et qu'elle croise mon regard, je fais exprès de m'enfuir comme si ma vie en dépendait. Alors son instinct de chasseur s'éveille et je deviens sa proie ! Quand elle s'énerve, les poils de sa queue gonflent, comme Chi, ils sont dressés comme si elle était parcourue d'un courant électrique. C'est tellement drôle que je ne me lasse pas de jouer avec elle !
N : Nyar. (Je vois. Et ça te donne des idées pour le story-board.)

Au début, Chi était un peu pleurnicheuse.

N : Nyaar. (Et une fois que le story-board est fini, vous refaites une réunion ?)
K : Oui. Par exemple, le scénario du chapitre 24 est assez différent de celui qu'on avait retenu pendant la réunion. Au début, Chi était déprimée de voir que la famille ne la remarquait pas. Elle était toute triste, elle avait les larmes aux yeux et disait : "C'est pas drôle d'être mise à l'écart !". On m'a fait remarquer que ça ne correspondait pas tellement

au caractère de Chi. C'est une enfant, mais avant tout un chat : elle a un tempérament bien trempé ! C'est pourquoi, dans la version définitive, j'ai représenté Chi beaucoup plus sûre d'elle et affirmée.

J'ai pris ma responsable de publication comme modèle pour l'air déterminé de Chi.

N : Nyaar ? (Il est temps de passer à la réalisation des planches. Par où commences-tu pour dessiner un chaton ?)
K : Je commence par les contours de la tête et des yeux. Quand on dessine des chatons ou des petits enfants, il faut que le nez soit très près des yeux. Sa tête doit être toute ronde et les différents éléments de son visage tous regroupés au centre. Une membre de la rédaction a ce genre de visage, je m'y réfère souvent ! (rires) Quand je dessine Chi avec son air déterminé, j'essaye de repenser à ma responsable de publication ! (rires)
N : Nyar. (C'est vrai qu'elle est très arrogante.)
K : Oui, oui !
N : Nyar. (Une fois l'encrage terminé, il faut coller les trames et passer la couleur.)
K : Exactement. Mais au stade du collage de trame, il ne reste presque plus de temps. C'est dommage, c'est pourtant amusant. Chi est si petite et les motifs sur son corps sont si détaillés que c'est un enfer à tramer. La mise en couleurs est plus facile.

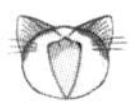

Je travaille sur mes planches 28 jours par mois.

N : Nyar. (Du story-board à la version finale, combien de temps mets-tu environ ?)
K : Trois jours pour le story-board et entre 5 et 8 jours pour les planches. En plus de *Chi*, je dessine une autre série pour le magazine "Be love", *Fuku-Fuku Funyan*, avec comme héros le gros chat qui apparaît dans le menu spécial de ce tome, et celle-ci me demande 5 à 6 jours de travail supplémentaire. Elles sont toutes deux bimensuelles, si bien que je dois boucler une série en une semaine.
N : Nyar. (Ce qui fait 28 jours par mois pour les deux.)
K : Voilà.

Le thème de *Fuku-Fuku Funyan* : "un chat est un chat".

N : Nyar. (De quoi parle ton autre série, *Fuku-Fuku Funyan* ?)

2 1 5 4 3

Voici le story-board du chapitre 24 de *Chi - Une vie de chat*, dévoilé pour la première fois au public.

Le story-board est envoyé à la rédaction par fax. Après réception, une seconde réunion a lieu. À partir de la page 6, on voit que ce n'est pas tout à fait la même chose que dans la version finale, Chi est déçue que la famille de la remarque pas.

Du noir et blanc à la couleur

En haut, la version en noir et blanc publiée dans le magazine "Morning". En bas, la version en couleur pour les volumes reliés. Les rayures de Chi sont mises en avant par des couleurs douces.

K : J'ai commencé cette série en me disant : "Un chat est un chat. Je voudrais retranscrire le caractère félin le plus fidèlement possible." C'est l'histoire d'un chat qui vit avec une vieille dame et qui passe le plus clair de son temps à se prélasser sur la terrasse. Il ne se passe rien d'exceptionnel, c'est un quotidien banal. Et Fuku-Fuku va chercher des occupations amusantes. Par exemple, comme un chat pourrait jouer avec un simple mouchoir en papier, il tire satisfaction d'objets parfois insignifiants. J'ai voulu baser ma série sur ce principe, à chaque fois trouver quelque chose d'amusant à faire pour passer le temps. Mais j'avoue que souvent, je me laisse emporter par mon story-board et j'oublie la vocation première de mon scénario ! (rires)

Dans les moments difficiles, les moments de peines ou de joie, il faut toujours donner le meilleur de soi-même. C'est le secret d'une vie réussie !

N : Nyar. Nyaar. (Je vois. Et quel est le thème de *Chi - Une vie de chat* ?)
K : Dans le cas de Chi, je voulais transmettre un message : dans les moments difficiles, les moments de peines ou de joie, il faut toujours donner le meilleur de soi-même. C'est le secret d'une vie réussie ! Chi est toujours à fond dans tout ce qu'elle fait. Elle a perdu sa maison, sa maman, ses frères, et pourtant elle est toujours animée par une joie de vivre à toute épreuve. C'est ce qu'il y a de plus important, ne jamais se laisser abattre. Même si son quotidien est monotone, le fait de le vivre à 100 % permet de l'illuminer. C'est dans cet état d'esprit que je dessine cette série.

Je vais me consacrer assidûment à mon travail.

N : Nyar. (Pour finir, je vais te demander tes projets d'avenir.)
K : Me consacrer assidûment à mon travail pour ne pas décevoir mes lecteurs.
N : Nyar. (Y a-t-il un ouvrage ou un produit dérivé que tu aimerais réaliser ?)
K : Rien n'est encore fait, mais après les bonbons et les calendriers à l'effigie de Chi, j'aimerais que sortent des tirelires "maneki-neko"* en forme de Chi et Fuku-Fuku. Je suis en train d'en discuter avec la rédaction. J'aimerais aussi dessiner un livre d'images pour raconter la naissance de Chi. Il y a longtemps, quand j'étais à la fac, une amie du club de mangas m'avait suggérer de sortir des livres pour enfants. J'ai toujours gardé cette envie dans un coin de ma tête, et je trouve que Chi serait le sujet idéal.
N : Nyar. (Pour finir, un petit message pour tes lecteurs ?)
K : Merci beaucoup de lire *Chi - Un vie de chat*. Je vais continuer à faire de mon mieux et je compte sur vos encouragements. Le tome 3 sortira pour le printemps 2006 alors je vous donne rendez-vous dans ce prochain volume !

*N.D.T. : Statuettes représentant un chat la patte levée, souvent posées à l'entrée des magasins pour attirer la bonne fortune.

Konami Kanata

Née en 1958.
Cancer, groupe sanguin O.
Elle entame sa carrière de mangaka en 1982 avec *Buchi neko jam-jam* (publié dans le magazine "Nakayoshi" de Kodansha). Elle dessine principalement des séries ayant des chats comme personnages principaux. En 1988, elle commence la série *Fuku-Fuku Funyan*, avec comme héros Fuku-Fuku que vous avez pu voir dans le menu spécial. La série est toujours en cours dans le magazine "Be Love" et rencontre un franc succès.

CHI – UNE VIE DE CHAT

First published in Japan in 2005 by Kodansha Ltd., Tokyo.
Publication rights for this French edition arranged through Kodansha Ltd., Tokyo

Traduction : Fédoua Lamodière
Correction : Yoann Passuello
Lettrage : Karim Talbi

Éditions Glénat
Couvent Sainte-Cécile – 37, rue Servan – 38000 Grenoble.
ISBN : 978-2-7234-7845-8
ISSN : 1253-1928
Dépôt légal : janvier 2011

Imprimé en Italie en septembre 2013
par L.E.G.O. S.p.A.

www.glenatmanga.com